Título original: *Obrigado a todos!*

Colección libros para soñar®

© de la edición original: Planeta Tangerina, 2006
© del texto: Isabel Minhós Martins, 2006
© de las ilustraciones: Bernardo Carvalho, 2006
© de la traducción: Xosé Ballesteros, 2013
© de esta edición: Kalandraka Ediciones Andalucía, 2013
Avión Cuatro Vientos, 7. 41013 Sevilla
Telefax 954 095 558
andalucia@kalandraka.com
www.kalandraka.com

Impreso en Gráficas Anduriña, Poio
Primera edición: julio, 2013
ISBN: 978-84-92608-76-8
DL: SE 1203-2013
Obra apoyada por la **Direção-Geral do Livro, dos Arquivos e das Bibliotecas / Portugal**

¡MUCHAS GRACIAS!

ISABEL MINHÓS MARTINS
BERNARDO CARVALHO

kalandraka

Mi padre me enseñó a tener paciencia.

Mi madre me explicó que no siempre es bueno esperar.

De mi abuela María aprendí que «no hay un minuto que perder».

Pero según mi abuelo Felipe: «Lo mejor de lo mejor es descansar».

Con mi vecina doña Rosa aprendí a escuchar.

Con mi gato Malaquías descubrí el placer de no tener que hablar.

El tío Rodrigo me enseñó que si las reglas existen... es por alguna razón.

Y con él también aprendí a saber perder.

Con mis amigos aprendí a «formar parte de un equipo».

Y así descubrí que... ¡me gusta mucho ganar!

Con mi vecino Arturo le perdí el miedo al riesgo.

Pero mi tía Luisa siempre me dice: «No te metas en líos».

Con el señor Farias aprendí a observar las cosas.
Descubrí que algunas son muy bonitas.

Y con mi primo Alfonso supe
que algunas cosas feas también tienen su gracia.

Catarina me enseñó que no todo puede ser como yo quiero.

Pero Pepe, el conductor del autobús, siempre me dice:
«Si deseas mucho algo, ¡no desistas, chaval!».

Con mi hermano mayor fui capaz de aguantar en las subidas.

Y también de disfrutar en las bajadas:
sin manos ni pies, ¡a gran velocidad!

En la escuela comprobé que sólo soy uno más entre muchos.

Pero en mi casa dicen que soy «un ejemplar único»...
«el rey de la casa».

He aprendido muchas cosas.

Pero, a menudo, mi madrina sigue diciéndome:
«Tengo tanto que enseñarte...».

Por eso quiero deciros a todos, desde el fondo de mi corazón...

¡Muchas gracias!
Y esto también lo he aprendido de alguien...